【최애의 아이】1st 일러스트집

Glare × Sparkle
Aka Akasaka   Mengo Yokoyari

Glare✕Sparkle

CONTENTS

※컬러 일러스트는 2023년 5월 말까지 공개된 것을 수록하였습니다.

만약 연예인의
자식으로 태어난다면?
이라는 생각, 해본 적 없어?

빼어난 외모나 인맥을
태어날 때부터 갖고 있으면
좋겠다는 생각 말야.

이 연예계에
진입하는
티켓이

처음부터
그 손에
있다면.

전설의 아이돌

전생 : 아이의 팬인 산부인과 의사

전생 : 아이의 팬인 소녀

신생 B코마치

자식들을 사랑함

엄마 너무 좋아

성장

쌍둥이

성장

동생

오빠

B코마치 아이

천부적인 반짝임으로 한 시대를 풍미한 전설의 아이돌. 첫 돔 공연을 앞두고 흉인에 쓰러진다.

호시노 루비

본명 : 호시노 루비이. 어머니인 아이 같은 아이돌이 되기 위해 B코마치를 재시동했다.

호시노 일가

방송에서 커플 성립

주목받는 신예 배우

신생 B 코마치에 스카우트

신생 B코마치에 환영

인기 유튜버

호시노 아쿠아

본명 : 호시노 아쿠아마린. 아이 사건의 흑막에게 복수하기 위해 연예계에 뛰어 들어 진상을 쫓고 있다.

신생 B 코마치에 스카우트

너의 최애가 되어 주겠어

전·천재 아역

쿠로카와 아카네

'극단 라라라이'의 젊은 에이스. 성실한 노력가. 아쿠아와 인연을 맺고 그의 진짜 목적을 알아채기 시작한다.

어린 시절의 우상

MEM쵸

신생 B코마치 멤버 겸 인플루언서. 인터넷 마케팅을 숙지한 '화제 만들기의 프로'.

아리마 카나

신생 B코마치의 센터를 맡고 있다. 어 릴 때 '10초면 훌쩍이는 천재 아역'으 로 이름을 떨쳤다.

무대 '도쿄 블레이드'에서 함께 출연

연애 리얼리티쇼에 함께 출연

전생의 기억을 가진 채 최애 아이돌 아이의 '자식'으로 환생한 아쿠아와 루비. 그러나 '최애의 자식' 생활을 만끽하는 나날은 아이가 살해당하며 갑작스레 막을 내린다. 시간이 흘러 고등학생이 된 두 사람. 아쿠아는 '복수'를 위해서, 루비는 아이처럼 '빛나기' 위해서, 저마다 가슴에 생각을 품고 '연예계'에 뛰어든다!! 신예 배우 아카네와 함께 출연한 방송을 계기로 인기를 얻고, 연예계 활동을 계속하며 아이를 살해한 흑막을 쫓는 아쿠아. 한편 루비는 전·천재 아역 카나, 유튜버 MEM쵸와 함께 '신생' B코마치를 결성해서 아이돌이 된다. 그들이 나아가는 연예계의 길 끝에서 기다리는 것은…?!

STORY

CHARACTER ILLUSTRATIONS

보석처럼 눈부시게 빛나는 모습부터 조금 다크한 모드까지, '캐릭터'의 다양한 일면을 끌어내는 '일러스트'. 다채로운 색을 활용하여 《최애의 아이》의 세계를 수놓은 다양한 일러스트를 이 지면에 수록. 일러스트를 그려낸 요코야리 멩고 선생님의 코멘트 등도 특별 게재!

【최애의 아이】 1st Illustrations
Glare×Sparkle

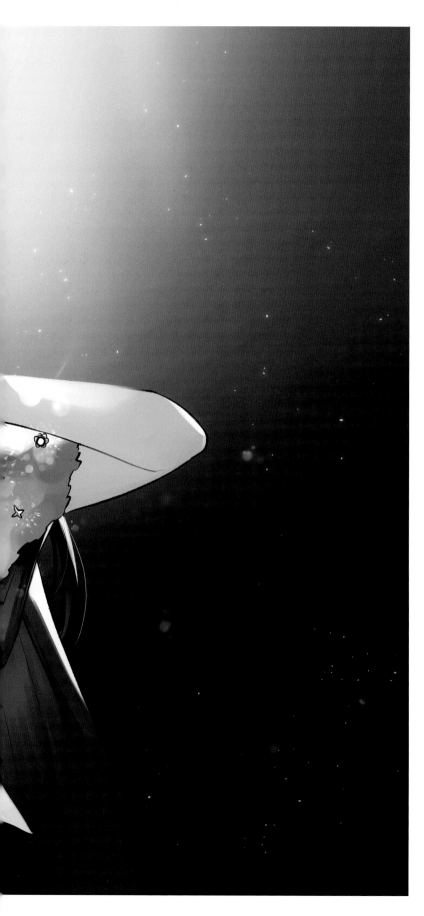

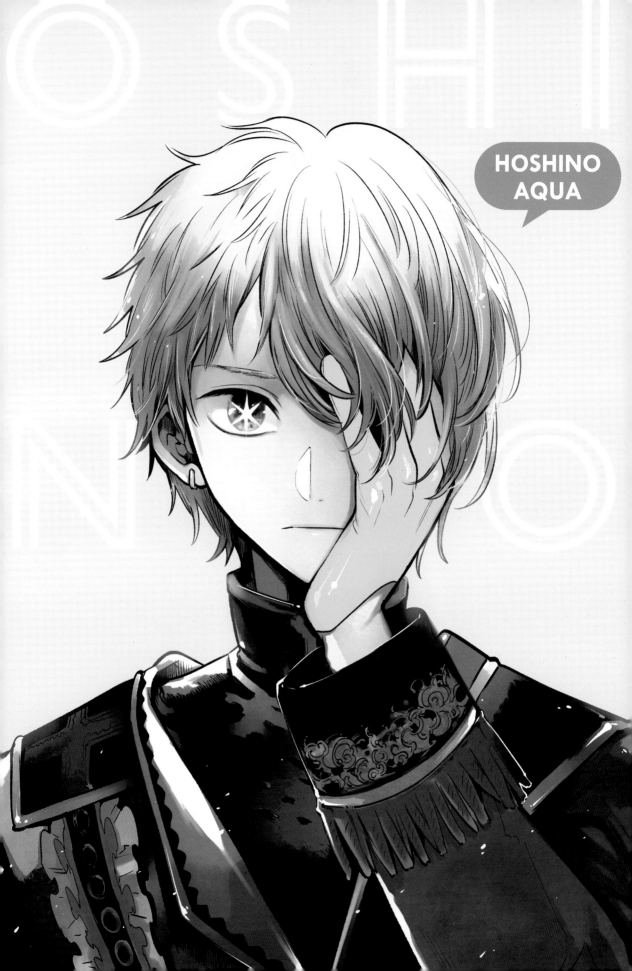

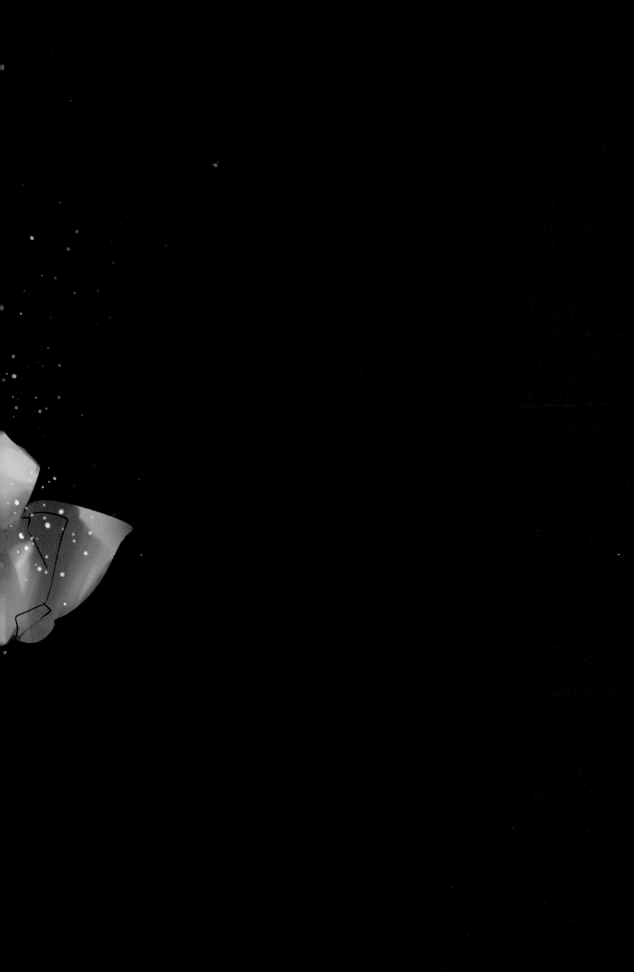

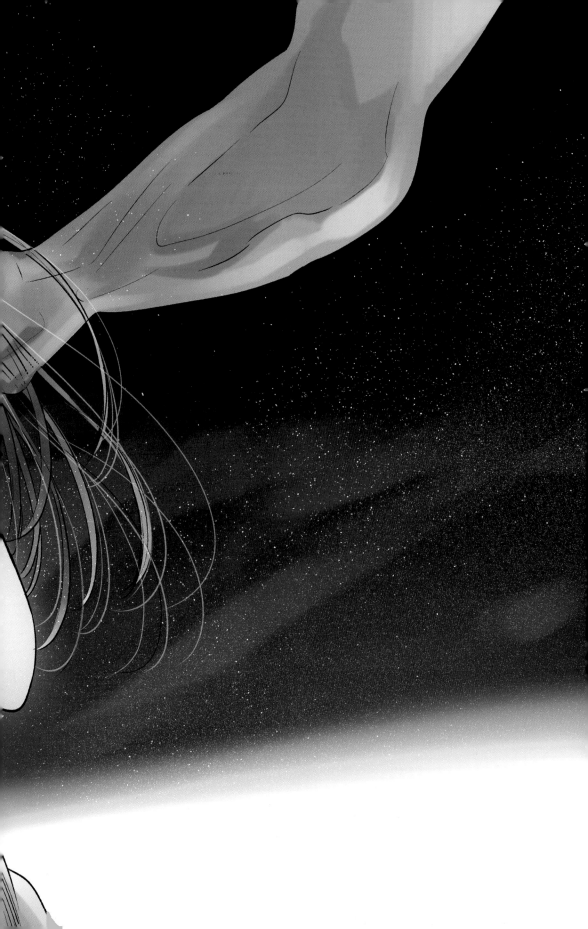

KICHIJOJI YORIKO

SAMEJIMA ABIKO

SHIRANUI
FRILL

DEFORMATION

2020.12
점프 페스타 2021

2021.01
〈주간 영점프〉
통권 2000호 기념

❶【최애의 아이】 ❷【최애의 아이】 ❸축! YJ 통권 2000호

❶

❷

2021.08
'차세대 만화 대상 2021'
만화책 부문 대상 수상 기념

❸

❹

2021.11
산요도 쇼텐 코믹 어워드
'#데라코미!! 2' 대상 수상 기념

❶【최애의 아이】 ❷팬이 되어줘서 고마워!! ❸데라코미 대상 수상! ❹데라 감사♡

⑤

2021.12
대원 C.I. 주식회사
창립 30주년 기념

⑥

⑦

2021.12
점프 페스타 2022

⑤대원 C.I. 30주년 축하드려요!! 　⑥【최애의 아이】 　⑦즐거운 점프 페스가 되길♡

2022.07
슈에이샤 여름 코믹스 페어
나츠코미 2022

2022.12
점프 페스타 2023

3

2023.03
애니메이션 제1화 극장 선행 상영
제1주차 관람객 선물

2023.07
슈에이샤 여름 코믹스 페어
나츠코미 2023

책의 일부인 띠지에서만 볼 수 있는 내용―. 일상 이야기나 선생님의 메시지 등, 주옥 같은 일러스트를 공개합니다.

①
2020.07.17

② 2020.10.16

③ 2021.02.19

④ 2021.05.19

⑤ 2021.08.18

⑥ 2021.11.19

⑦ 2022.02.18

일러스트 / 아카사카 아카

⑧ 2022.06.17

⑨ 2022.10.19

⑩ 2023.01.19

⑪ 2023.03.17

SNS에서 공개한 귀중한 일러스트와 작품 속 컷을 활용한 게시물 등, 요코야리 멘고 선생님의 트윗 중 일부를 소개합니다!

⑨【推しの子】 ① ⑩ 置いといくよ～ ⑪ 赤坂アカ × 横槍メンゴ

《【최애의 아이】 허용 범위 내에서 최대한의 노출로 홍보해달라고 요청했습니다.

2020.07.18

① ヤングジャンプ21号から週刊連載! ② 推しの子 ③ 赤坂アカ×横槍メンゴ

계속 홍보 중이라 정리해봤습니다.
✏️《【최애의 아이】》 아카사카 아카 선생님과 새 연재, 영점프(https://youngjump.jp)
🦊《늑대가 되고 싶어》 신작 단편 점프+
(https://shonenjumpplus.com/episode/13933686331621725255)
둘 다 잘 부탁드립니다~!

2020.04.13

아이 그리기 노래를 시도하려고 했는데, 그리기 노래 센스가 없거니와 일일이 파츠를 복붙할 끈기도 없었어요. 안녕히 주무세요

2020.07.18

마음에 드는 컷
2020.07.26

잘 먹네~ 아쿠아는 젖병을 좋아하는구나~.

짭을 짭읍

《【최애의 아이】 열심히 그리고 있습니다…
(…좌우에 엄청 약한지라…)

2020.05.14

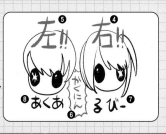

④右!! ⑤左!! ⑥あくあ ⑦るびー

⑫【推しの子】 ⑬ 1巻大重版決定!! ⑭ 大重版だって お兄ちゃん! ⑮ 太…? せいぜいが「太」なんで 簡単に言ってくれるの!? ⑯ 今日発売のヤングジャン 書いてあったからいいんじゃないか! ⑰ 9月1日～じわじわ入荷されるみたいだね。 ⑱ わー! ⑲ 応援ありがとう ございます!!!
Ruby Aqua

그리고 공지입니다! 기다려 주셔서 감사합니다. 《최애의 아이》 제1권의 증쇄가 결정됐습니다✂️✂️ ~~~~ 정말 감사합니다…!!! 앞으로도 열심히 연재할 테니 많은 관심 부탁드립니다…! 9/1부터 수시로 입하될 예정입니다.

2020.08.27

7/17, 오늘은 무슨 날? #만화의 날! 만화의 날에 발매되다니 기뻐요💕 여자아이를 그릴 때는 항상 '세상에서 제일 귀여워… You are No.1…'을 염두에 두고 그립니다. 요리의 숨은 맛 : 애정 같은 거라고 생각해요. 꼭 사주세요!

2020.07.17 (제 1권 발매일)

최고의 사랑이라고? 거짓말은

❶영점프 21호부터 주간 연재! ❷최애의 아이 ❸아카사카 아카×요코야리 멘고 ❹右!! ❺左!! ❻확인 ❼루비 ❽아쿠아 ❾【최애의 아이】 ❿1권 꼭 사줘~ ⓫아카사카 아카×요코야리 멘고 ⓬【최애의 아이】 ⓭1권 대증쇄 결정! ⓮대증쇄 되…
⓯대…'대'의 기준이 뭔데!? 그렇게 쉽게 말해도 돼? ⓰오늘 발매된 영점프에 그렇게 쓰여 있었으니 괜찮지 않을까? ⓱9월 1일부터 차차 입하되는 모양이야. ⓲와아~ ⓳응원 감사합니다!!

죄송해요, 어제 얘기한 브러시 사이즈 말인데, px로 표기되어 있었네요…, mm로는 10입니다. 여러분이 사용하는 사이즈도 알려주세요!(mm인지 px인지 확실하게…) ~아쿠아를 곁들이며~

2020.09.10

그랬다… (2차 창작) 아리마 카나   **2020.09.15**

쿠로카와 아카네   **2020.10.24**

어시스턴트가 내 그림체랑 엄청 비슷한 엑스트라를 그려줬어…
너무 잘 그리는 거 아냐?
2020.09.24

우호— 그라데이션 맵은 즐거워~   **2020.10.29**

파이팅, 아 군!
2020.10.22

멧 씨   **2020.12.11**

아이는 최강의 아이돌이니까 은하계에서 최고로 귀엽게 그려야지 라는 마음을 담아 그리고 있는걸… 귀엽다는 건 내가 먼저 그렇게 생각하지 않으면 거짓말이니까
2020.10.24

볼펜으로 그린 식초 컬렉션 2021   **2021.01.01**

난 지나간 사랑에 미련이 남아서…

하지만

햄스터를 흉내 내는
식초 씨

2021.01.08

아침의 아쿠아

2021.01.07

불안해지는 루비 씨

2021.01.07

미야에몽은 미인입니다.

2021.01.08

배우 · 쿠로카와 아카네 씨

2021.01.08

《최애의 아이》
이번 주에도
트렌드에
진입했네~!
뽐내는 메 씨

2021.04.08

식초 양이 아닌 곳에 식
초 양의 펜션을 넣은 바
람에 지워지는 식초 양
입니다. 슬프니 업로드합
니다.

2021.05.28

밸런타인

2021.02.14

우와————————아앗 원작자가
1차 창작을 해주셨어————————!!!!
식초 양이다————!
대바————악

2021.01.08
(일러스트 / 아카사카 아카)

무사히 받으신 듯하여…
서프라이즈 생일 축하 선물로 부탁을 받고 그린😊《【최애의 아이】》 첫 단행본 사인! (그런 시기군요.)
사인회 또 하고 싶다.

2021.07.25

전에 그렸던 식치

2021.08.08

【정정】영점프 본지 60화, 사야히메의 칼이 노출됨… (뽑는 과정도 안 나왔는데…) 지면에는 그대로 나갔지만 앱에서는 수정됐을 거예요.

2021.10.21

이건 액정 태블릿 화면을 직접 찍은 건데, 앱의 필터 성능이 진짜 너무 좋네요… 포샵이나 클튜에 그대로 넣어주면 안 될까요….

2021.11.19
(제 6 권 발매일)

잠을 쫓기 위해 그렸던 낙서입니다. 잘게요.

2021.06.09

기쁨의 춤 ⊙⊙⊙
MEM쵸

2021.07.15

이 소동은 사흘 밤낮으로 계속되었다.

2021.07.15

끌어들여서 미안해.

2021.07.15

아비코의 초기
디자인을 꺼내 봄.
변한 게 없네.

2021.12.25

최신간 발매 기념으로 제6권 수록분 메이킹 과정 비슷한 것을 올려봅니다. 밑그림을 안 그리는 이유는 두 번에 나눠서 그림을 채우는 게 서투르기 때문이고, 한 레이어 위에서는 엄청나게 수정하고 있습니다. 아카 선생님의 콘티는 그려야 할 것을 쉽게 알 수 있어서 항상 큰 도움이 됩니다.

2021.11.19 (제 6 권 발매일)

2021.12.31

2021.12.31

horn
less

2021.12.31

메리 크리스마스!!!!!!!

2021.12.28

방에 있는
물건은 전부
경비로
처리됩니다.

바로
시작할까?

이제까지 그린 것 중에서 가장 멋진 미소를
그려내고 말았다.
2022.02.03

화풍에 영향이   **2022.03.13**

많은 축하를 보내주셔서 감사합니다.
소리와 색채와 빛을 두르고 아이의 무대가 더더욱 빛날 수 있기를!

2022.06.10
(애니화 발표일)

거리감이 고장 난 호시노 남매   **2022.08.04**

自分の
キ───っつい
なさいよ

MEM 아종   **2022.04.24**

#10초면 그릴 수
있는 천재 화가

2023.02.19

쇼트를 소화하는 쿠로카와 아카네 씨

2022.08.04

그냥 한번 그려보고 싶었던
롱 식초 양

2022.08.04

모자 아리마 카나

2022.08.04

너무나도 많은 관계자분들이 멋진 그림을 그려서 올리고 계시니… 저도 돌발적으로 그렸습니다. 🙏
많은 분들의 재능이, 이 작품의 팬이 되어주신 한 분 한 분의 성원이 아이를
최강의 아이돌로 만들어 주었습니다. 감개무량합니다.

2023.04.13
(TV 애니 제1화 방송일)

여러분의 첫날이 부러워서 시사회 때를
떠올리며 그렸습니다

2023.03.17
(애니 제1화 극장 선행 상영 개시일)

❷❸ Yeah~ 롱도 잘 어울리지☆ 그래도 보브 쪽이 차분해 보이려나 — 아리마 카나 ❹「첫 발언」by 요코야리 멘고 ❺ 짝짝 ❻ 와~ 즐네~ ❼ 화장실!! 가고 싶네~ ❽ 화장실로 사라지고 싶어~ ❾ 웅기 야~ 화장실가 ❿ 화장실!! 가고 싶네~ ⓫ 나중에 ⓬ 화장실~ ⓭ 움찔 ⓮ 화장실 ⓯ 스윽 ⓰ 무척 높은 분의 인사 ⓱ 봐줘서 고마워!♡ ⓲ 최애의 아이

MENGO's COMMENTS

일러스트를 그리신 요코야리 멘고 선생님의 코멘트를 전해드립니다. 그림에 고집하는 점이나 제작 당시의 추억 등, 팬이라면 꼭 읽어야 할 내용이 가득!

6

YJC 제1권
표지 커버
2020.07.17

제1권 표지는 엄청나게 중요하니까 몇 번씩 수정하며 얼굴을 그렸던 것 같습니다. 처음에는 제 예전 작품들처럼 상반신과 정면 얼굴만 그릴 예정이었어요. 그런데 담당 편집자님과 아카 선생님이 손을 넣는 게 나을 것 같다는 아이디어를 제시했고, 포즈 시안을 받아 다양하게 수정한 끝에 지금 보시는 그림이 완성되었습니다. 꽤나 상징적인 한 장이라고 생각합니다. 저는 평소에 혀를 내미는 그림을 자주 그리는 편인데, 밑그림 단계에서는 평범하게 웃는 모습이었습니다. 그대로 진행했다면 색 인상적이진 않았을 것 같네요. 아무튼 아카 선생님께 받은 아이디어 밑그림이 좋았던 덕분입니다.

3

2020.04.30
〈주간 영점프〉
2020년 22, 23 합병호 컬러 페이지

최초의 컬러 페이지. 어째 노출도가 좀 높네요…. 이유는 전혀 기억이 안 납니다…. 딱히 여름에 그린 것도 아닌데…. 비닐 소재 느낌을 내고 싶었나?

4

2020.07.16
〈주간 영점프〉
2020년 33, 34 합병호
컬러 페이지

정면을 보고 있는 아쿠아의 첫 컬러. 죄송합니다. 이 자리에서 처음으로 고백하는 건데요…. 제1화 양면 페이지 시점에서 루비의 눈을 루비색, 아쿠아의 눈을 아쿠아마린 색으로 칠하는 걸 까맣게 잊고 아이에게 물려받은 보라색 계열로 루비의 눈을 칠했습니다. 엄청난 실수죠. 이 그림을 그릴 때 '앗!' 하고 깨닫고서 '사실은 이런 색입니다!' 라는 느낌으로 칠했습니다. 이런 색입니다. 하지만 동공은 다양한 색으로 변하는 법이니까요. 빛의 세기 등으로….

1

〈주간 영점프〉
새 연재 예고 일러스트 2020년 19호
2020.04.09

제1화를 끝낸 직후에 그렸던 것 같네요. 세상에 처음으로 공개하는 《최애의 아이》 비주얼이라서 긴장도 적잖이 했지만, 알맞은 느낌으로 힘이 빠진 그림이 완성돼서 마음에 듭니다. 아직 루비에 대해 잘 모르는 상태에서 그렸는데, 아이돌이지만 가식적이지 않으면서 살짝 거울 같은 느낌(오라?)도 드러나면 좋겠다고 생각해서 이런 포즈가 되었어요. 엄마의 그야말로 아이돌이라는 강렬함과는 또 다른 접근법을 시도했습니다.

2020

7

2020.07.30
〈소년 점프+〉 번외편2

무대 뒤편 느낌의 아이. 휴재할 때의 컬러 일러스트는 인스타그램 스타일로 캐릭터의 일상을 그리는 게 어떨까… 라는 제안이 있었어요. 그런데 휴재 컬러 일러스트는 워낙 빈도가 높기도 하거니와 연재를 하면서 컨셉추얼한 통일감을 유지할 여력이 없었기 때문에 단념…했는데, 아쉬움이 남네요.

5

2020.07.16
〈소년 점프+〉 번외편1

〈소년 점프+〉에 실을 그림이니 비주얼적으로 '뜨거운' 요소도 넣었으면 좋겠다는 담당 편집자님의 오퍼를 받고 뜨거움이란 뭘까… 하고 의식하며 그린 그림입니다. 모티프가 아무리 귀여울지라도 여자아이가 핑크를 둘렀을 때의 한계가 없는 열기, 같은 것을 숭배하고 있기 때문에 언젠가 제 손으로 완벽히 표현할 수 있게 되는 날을 꿈꿉니다. 극에 달한 '귀여움'은 '멋짐'이라고 믿습니다.

2

2020.04.23
〈주간 영점프〉 2020년 21호 컬러 페이지

권두 컬러의 양면 페이지는 워낙 힘든 작업이라서… 아직까지는 제1화밖에 없어서 다행이다 싶어요. 양면 페이지 일러스트는 자유롭게 그려도 됐기에, 제1화의 요소를 전부 집어넣고 아이의 몸온력과 카리스마성을 최우선 요소로 의식했습니다. 《최애의 아이》는 상당히 시리어스한 작품이기도 합니다만, 제1화를 다 읽을 때까지는 모르는 게 반전으로 다가와서 좋을 것 같았기 때문에 밝고 귀여운 느낌으로 그렸습니다.

13

2020.12.24
〈소년 점프+〉
번외편6

왠지 클리어 소재 굿즈에 어울릴 것 같은 그림이라고 생각했는데, 아크릴 스탠드로 제작돼서 기뻤습니다. 평소와 조금 다른 느낌으로 채색하고 싶어서 채도도 과감하게 낮춰봤어요. 영혼이 요구하기 때문에 천사와 악마를 모티프로 한 그림을 평생 그릴 겁니다.

8

2020.08.20
〈소년 점프+〉
번외편3

아카 선생님께 '피도 눈물도 없네요~'라는 말을 들은 그림입니다. 아카 선생님이 하실 말씀은 아닌 것 같아요.

14

〈소년 점프+〉 2021.01.07 번외편7

먹물을 물에 떨어뜨렸을 때, 라는 이미지로 그렸습니다. 아카네의 어두운 면은 그녀의 무척 멋진 매력 중 하나이니까 멋스럽게 표현해주고 싶었어요. 배우처럼 다른 누군가로 변신할 수 있는 직업은 무척이나 신비롭죠.

10

〈소년 점프+〉 번외편4 2020.10.15

왠지 이 그림은 다른 만화의 컬러 같군요. 판타지스러워요. 보석보다는 광물에 가까운 느낌이죠. 저는 무언가를 설명할 때 종종 뉘앙스로 얘기하기 때문에 의도가 잘 전달되지 않았다면 죄송합니다….

9

〈주간 영점프〉 2020.10.15 2020년 46호 컬러 페이지

디자인적으로 귀엽게 붙여보았습니다. 아쿠아도 아이돌이 될지도 몰라… 라는 생각을 이 무렵까진 가졌네요. 지금도 희망을 아예 버린 건 아니지만…(웃음).

2021

15

2021.01.21
〈소년 점프+〉 번외편8

달콤한 과자 같은 색으로 그림을 마무리하는 걸 워낙 좋아하는지라 자연스럽게 그렇게 되었습니다. 실제로 이런 스톨이 있으면 귀여울 것 같네요. 좌우 반전으로 나란히 배치한 모습이 무언가 의미심장해 보이지만, 단순히 선화가 귀엽게 그려지면 배로 늘려서 나란히 배치하고 싶어하는 버릇이 있을 뿐이에요. 이건 우리만의 비밀이에요.

11

YJC제2권 표지 커버 2020.10.16

이 컬러, 저는 꽤 좋아합니다! 개인적으로 컬러 일러스트 작업에 서투른 편이라고 생각하는데, 구도도 채색도 당시 제 능력을 최대한으로 발휘해서 그렸던 것 같습니다.
왜일까요. 컨디션 문제일까요…. 가끔 그럴 때가 있긴 하죠. 항상 컨디션이 좋으면 좋겠는데.

16

2021.01.28
〈소년 점프+〉
앱 리뉴얼
가위바위보 배틀
신작 일러스트

자연스럽고 러프한 느낌의 브이 포즈는 귀여우니까 이렇게 했습니다. 평소에 멋진 포즈를 잘 취하는 사람일수록 반전 매력이 있어서 좋거든요.

12

2020.11.19
〈소년 점프+〉 번외편5

평소에는 블루 베이스에 가까운 색을 자주 쓰는데, 이 그림은 익숙하지 않은 오렌지색을 써서 신선하고 즐거웠습니다. 당시에 막 알게 된 우사자키 시로 선생님이 '사랑의 의인화…?'라고 칭찬해주셔서 엄청 기뻤던 기억이 나네요.

21

2021.04.22
〈소년 점프+〉 번외편11

루비가 상당한 미소녀라는 사실을 정기적으로 상기하게 하고 싶어서 그린 그림.
평소와 채색 스타일이 살짝 다르네요. 어떻게 한 거지…(늘 재현성이 없는 무계획적 채색을 한다는 사실이 들통나겠어…).

22

〈소년 점프+〉 번외편12
2021.05.06

이 그림, 엄청 '요리' 같지 않나요? 통하는 사람에게만 통하면 되지만….
왠지 그런 생각이 들어요. 무대의 막이나 무대 뒤의 모티프를 좋아해서 옛날부터 자주 그리는데, 《최애의 아이》는 정말 마음껏 그릴 수 있어서 좋네요~.

17

2021.02.10
〈주간 영점프〉
2021년 11호 컬러 페이지

아리마 카나 첫 컬러. 성격이 잘 드러난 것 같습니다. 노골적인 스탠딩 일러스트로 캐릭터성을 표현해내면 성취감이 무척 크죠. 그리고 죄송합니다. 이번에도 고백할 게 있습니다.
교복 블레이저의 단추 개수나 위치가 그림마다 제각각 다릅니다.
저는 과거 연재작의 제1권 표지부터 교복 그림을 실수한 전적이 있는데 이번에 또 저질렀습니다.
애니에서는 올바르게 설정되어서 정말 다행이에요.

18

2021.02.11
〈소년 점프+〉 번외편9

MEM쵸 첫 컬러. 90년대 레트로 팝 스타일부터 실사풍 레트로만 터치로 그리는 개성을 시도하려고 했는데, 제 그림의 베이스가 90년대 팝 스러워지기 때문에 '첫 그림'과 '끝 그림'이 비슷해져버렸습니다. 그래도, 색으로만 구성한 그림이라 좋아합니다.

23

YJC 제4권 표지 커버
2021.05.19

장갑을 무슨 색으로 칠할지 한참 고민한 기억이 남니다.
이 장갑 시리즈는 베스트 매치를 추구하기보다는 약간 '응?' 하고 멈칫하게 되는 '위화감'이 드는 배색을 지향하고 있기 때문에 그 배합이 늘 어려운 것 같아요. 이 표지로 오명을 꽤 씻어낸 듯해서 기쁩니다.

24

2021.05.19
YJC 제4권
서점 특전 신작 일러스트

폴라로이드 사진 포즈집을 다수 읽어봤는데, 의외로 스트레이트한 포즈로 골랐습니다.
제 그림은 클리어 소재랑 잘 어울리는 것 같아서 투명한 물건에 인쇄되면 기분이 좋습니다.

19

2021.02.19
YJC 제3권 표지 커버

이때부터 표지에 클로즈업이 계속되기 때문에 얼굴+손에 동세를 주며 장갑에 채도가 높은 '살짝 겉도는 색'을 사용해서 시선을 끄는 전략으로 그렸습니다. 저 자신이 채도가 높은 그림을 좋아하기도 하지만, 서점에 가봤더니 의외로 청년지 코너에 색채가 선명한 표지가 흔치 않기 때문에(그래서 〈카구야 님〉이 눈에 띄더군요) 의식적으로도 해보자고 생각했습니다. 이 그림의 아 군은 '복수자'스러워서 좋네요.

20

2021.03.18
〈소년 점프+〉
번외편10

무엇이든 잡을 수 있는(스위치를 바꿀 수 있는) 아리마 카나 씨를 표현하고 싶었어요. 연예계 활동 경력의 깊이가 느껴진다면….

29

2021.07.29
〈소년 점프+〉 번외편15

이 일러스트를 그릴 무렵에 시간이 너무 촉박해서 우사자키 시로 선생님께 채색을 부탁드렸는데… 멋진 기술이네요. 입체감이 늘어나고, 화려하기도 하고, 실력 있는 사람에게 채색을 맡기면 그림의 수준이 높아 보여…! 그렇게 맛을 들인 저는 이후로도 몇 장 더 도움을 받게 된 것이었습니다…. 미야코 사장님, 어쩌다 보니 유일한 컬러.

30

2021.08.05
〈주간 영점프〉
2021년 36·37 합병호
컬러 페이지

이 페이지도 우사자키 시로 선생님께서 채색해주셨습니다. 이런 일상 시츄에이션 분위기의 그림은 흔치 않죠. 옷 주름 채색이 정말 끝내줘!

25

2021.05.19
아크릴 mini 피규어 JCS 한정 5개 세트
−신작 일러스트 Ver.− 신작 일러스트

미니 캐릭터 채색 실력이 좋은 톤 어시스턴트에게 맡겼습니다. 엄청 귀여워! 그나저나 미니 캐릭터를 그리는 게 너무 오랜만이라 조마조마했네요. 미니 아크릴 스탠드도 맛있는 사탕 느낌으로 나와서 좋았습니다. (입에는 넣지 마세요)

26

2021.05.20
〈주간 영점프〉
2021년 25호 컬러 페이지

두 사람의 대비가 두드러지는 주변 컬러. 백과 흑의 원피스&데님 겉옷. 코디 스타일은 비슷한데, 소재나 분위기가 전혀 다른… 그런 분위기를 내고 싶었습니다.

31

2021.08.18
YJC 제5권 표지 커버

《최애의 아이》단행본 첫 검은 배경. 저는 사실 검은 배경을 엄청 좋아합니다…. 하지만 자주 쓸 수 있는 건 아니기 때문에 '좋아, 지금이다!'라는 마음으로 말을 걸어붙이고 즐겁게 작업했습니다.
이 그림도 여느 때처럼 장갑 색을 정하느라 헤맸는데요… 처음에 채도가 높지 않은 색이 잘 어울리는 것 같기 때문에 이렇게 되었습니다. '어디 쓸 데가 있을지도 몰라!'라는 생각에 아이에 빙의한 눈동자 ver.도 준비됐는데, 아직까지 쓰인 적이 없군요.

32

2021.08.19
〈소년 점프+〉 번외편16

여름 MEM쵸. MEM쵸는 어떤 옷을 입힐지 고민하지 않아도 돼서 언제나 편한 마음으로 옷을 그립니다. 제일 자주 본 계열 옷이라서 다양성을 선보일 수 있다고나 할까요…. 모자 색이 툭 튀어서 마음에 듭니다.

27

2021.06.03
〈소년 점프+〉
번외편13

이 그림은 마감을 완벽하게 잊고 있었기 때문에, 정말 다급하게, 제 역사상 제일 빠른 속도로 집중해서 그렸는데… 웬걸, 그 기세 덕분인지 상상도 못할 만큼 다양한 곳에 쓰였습니다. 하지만 정말 믿지 못할 만큼 급하게 그린 그림인지라 그린 사람으로서는 똑바로 바라볼 수가 없군요.(웃음).

28

2021.07.08
〈소년 점프+〉
번외편14

피곤하기라도 했는지 손가락이 여섯 개인 상태로 제출하는 바람에 나중에 수정한 그림으로 교체를 부탁했습니다. 만화가의 피로도를 메타적으로 표현하고 말았네요. 걱정하는 코멘트를 많이 받았습니다. 저는 건강합니다.

37

2021.11.19 YJC 제6권 표지 커버

구도 관계상 키치죠지 선생님이 왼손잡이가 됐는데, 사실은 오른손잡이입니다. 그런데 저는 왼손잡이라서 캐릭터가 주로 쓰는 손을 정말 자주 헷갈리는지라…. 틀린 부분을 찾더라도 마음속에 고이 간직해주시면 감사하겠습니다. 이 그림은 얄팍한 꼼수는 쓰지 않고 성실하고 신중하게 완성하자는 마음으로 그린 그림입니다. 결과적으로 만화가의 '그저 열심히 할 수밖에 없어'라는 마음가짐이 느껴져서 좋았습니다. 만화가는 정말… 그저 열심히 할 수밖에 없죠….

38

2021.11.19
YJC 제6권
서점 특전 신작 일러스트

'옷 갈아 입히는 데이터 만드는 게 힘들어~'라는 얘기를 많이 듣긴 했는데, 생각보다 더 힘들었네요. 그래도 옷 갈아 입히기… 하고 싶잖아?! 어쩔 수 없겠지?! 도저히 공간 문제상 넣지 못한 파츠나 옷이 아직 많이 남아 있습니다….

33

2021.09.30
〈소년 점프+〉 번외편17

부유 시리즈 아이의 오렌지스러운 그림(No.12) 때의 기술을 활용해서 다시 한 번 그려보려고 한 그림. 배색이 재미있어서 이것도 마음에 듭니다. 빨간 머리 캐릭터는 별로 그려본 적이 없다 보니 신선한 색조합을 시도할 수 있어서 즐거웠어요. 삭초 양예전 스트랩 수즈가 어울려.

34 2021.11.04 〈소년 점프+〉 번외편18

헉! 지금 알아챈 건데, 메루토의 컬러 그림은 거의 그리질 않았네요. 앞으로 조금씩 그려볼까…. 뭔가 제 색감이 이상해서 그런지 캐릭터의 머리 색을 발표하면 다들 꽤 놀라는 편입니다. 일단 흑백 단계부터 머릿속에서는 모든 캐릭터의 색이 정해져 있고, 개인적으로는 계속 그 인상을 따라 그리고 있지만 처음 보는 사람들은 깜짝 놀라겠죠(웃음).

39

2021.12.02
〈소년 점프+〉 번외편19

추운 계절이니 니트의 온기를… 이라는 생각으로 그린 그림입니다. 채색할 때는 즐거웠던 것 같은데, 이번에도 어떻게 칠했는지 기억이 안 나는군요. 특이하게 생긴 옷을 너무 좋아한다니까.

40

2021.12.10
크리스마스 카드용 특별 일러스트 프린트 서비스 신작 일러스트

흑백 지정이라서 색은 없지만 왠지 모르게 아이의 이 의상은 차가운 색 계열이 어울릴 것 같아요. 산타이니까 빨강이겠지만.

35

2021.11.11
〈주간 영점프〉
2021년 50호 표지

영점프에서 처음으로 표지를 맡게 되어 무척 기뻤습니다. 영점프는 기본적으로 표지에 사진이 실리기 때문에 표지를 거의 못 받는다는 이미지가 있으니까요…. 기합을 담아서 그렸더니 이제껏 본 적 없는 영점프답지 않은 표지가 완성돼서 조금 재밌었습니다.

36 2021.11.11 〈주간 영점프〉 2021년 50호 컬러 페이지

'2.5차원 무대 편, 무르익다!'라는 컬러 일러스트. 2.5차원 무대 편 때는 아무튼 고생… 고생, 고생하고… 고생했기 때문에 컬러 작업도 어떻게 했는지 거의 기억나는 게 없어요. 2차원을 의식해서 색감이 강렬하군요(작가 본인이라고 생각할 수 없는 무성의한 소감).

46

2022.02.17 〈소년 점프+〉 번외편23

세계의 끝 같은 곳에 있는 아카네… 추운 시기에 그린 그림. 캐릭터 선화만 그려 놓고 작업이 잘 안 돼서 도중에 방치해 뒀던 것을 다시 꺼내서 완성했더니 이런 느낌이. 처음에는 더욱 부드러운… 선녀 같은 그림이었을 텐데…. 앞으로도 예상치 못한 변화를 기대하며 그림을 그려가고 싶네요!

41

2021.12.16 아클 mini 피규어 신작 에릴러스트 Ver.i 신작 일러스트

미니 캐릭터 제2탄! 이것도 톤 어시스턴트에게 맡깁니다. 다들 귀여워요~. 잘 보니 여자들은 전부 A라인 옷을 입고 있네요. 미니 캐릭터와 궁합이 좋아요.

47

2022.02.18 YJC 제7권 표지 커버

단행본 표지를 작업할 때는 늘 아카 선생님께 어떤 캐릭터를 투입할지 물어보는데, 제7권에서 '호시노 일가'라는 대답을 들었을 때는 '진짜 너무하네…'라고 생각했죠. 최선을 다해서 행복하게 해줬습니다….

43

2022.01.06 《주간 영웅문》 2022.01 6·7 합병호 컬러 페이지

사생활 속 '프로'의 얼굴이 테마입니다. 배역 연구 중에 아카네의 앞머리가 온 더 눈썹. 두 사람의 긴장감이 드러났다면 좋겠네요.

42

2021.12.23 〈소년 점프+〉 번외편20

헤드폰인 줄 아는 분이 많은데 귀마개입니다. 어느 쪽이든 상관없지만.

2022

48

2022.02.18 YJC 제7권 서점 특전 신작 일러스트

옷 갈아 입히기 제2탄! 두 번째도 믿음었으며 카나는 통통한 건 아니지만, 그렇다고 너무 날씬하게 그리지 않게 주의합니다. 뭐랄까, 고집이죠.

44

2022.01.06 〈소년 점프+〉 번외편21

떨어져 내리는 별을 아스테리즘 모양으로 그릴지 한순간 고민했는데, 왠지 찔려서 아플 것 같으니 평범한 별로 정했습니다. 다행이네, 아 군.

49

2022.03.24 〈소년 점프+〉 번외편24

미나미의 첫 컬러. 왠지는 몰라도 친구들에게 묘하게 호평이었던 그림. 평상시 그 라비아 일을 말 때의 이미지입니다. 오랜만에 이런 가슴을 그렸구나….

45

2022.01.20 〈소년 점프+〉 번외편22

새해 1월에 실리는 그림이라는 점도 있어서 '스타트 대시!! 의욕!!!'을 형상화한 루비를 그렸습니다. 그림에는 다양한 작품, 다양한 좋은 점이 있습니다만, 자기가 그리는 것에는 아무튼 생명력이 깃들었으면 좋겠다는 마음이 있고, 루비에겐 그런 마음이 쉽게 실립니다.

2022.06.23
〈주간 영점프〉 2022년 30호 표지
©Aka Akasaka/SHUEISHA Inc. ©Aka Akasaka×Mengo Yokoyari/SHUEISHA Inc.

첫 합작!! 제가 밑그림을 그려서 먼저 일러스트를 완성하고, 완전히 나중에 여러 가지를 맞춰 주셨습니다. 맞추기가 정말 능숙하네요. 저는 남에게 맞추는 것을 정말 못하는 작풍인지라 맞춰 주셔서 감사…. 저는 아카 선생님의 채색 스타일을 좋아해서 카구야는 평소대로 칠해도 합작했다는 느낌이 들어서 좋지 않을까 싶었는데, 엄청나게 제 스타일로 완성해주셔서 놀랐습니다. 왠지 이 그림을 너무 분석하면 성격 진단 같은 것으로 발전할 것 같으니 이 정도로 맺겠습니다.

2022.04.28
〈소년 점프+〉 번외편25

왠지는 몰라도 뜬금없이 남국 스타일의 프릴 양의 첫 컬러. 정말 별 이유는 없습니다. 굳이 따지자면 멀음 여유 계열 촬영이나 일이 많을 것 같지만.

2022.08.18
〈소년 점프+〉 번외편29

너무나도 좋아하는 검은 배경-!!! 심플한 그림인 것에 비해 의외로 평가가 좋습니다. 평소에도 이런 수준으로 광원을 잘 의식하며 칠하고 싶어요… 힘내겠습니다….

2022.07.14
〈소년 점프+〉 번외편28

천사와 악마 당티모드, 마스크 컬러로. 배트도, 빠빠하게 평안 할 것오가 되어 있습니다 ... 으로도 계속 그려요.

2022.05.12
〈소년 점프+〉 번외편26

오랜만에 아이돌 아이 그림. 역시 《[최애의 아이]》라는 느낌이 들어! 즐겁게 그렸습니다. 저는 반전 매력에 한없이 약한 인간이라서. 하늘하늘한 옷을 입은 사람이 와일드한 몸짓이나 포즈를 취하면 정말 두근거리는데… 그런 개인적인 취향이 곳곳에 보이네요.

2022.09.29
〈소년 점프+〉 번외편31

영화 〈블랙 스완〉을 떠올리며 그렸습니다. 검은 별 모양 눈을 컬러로 잘 표현하는 게 꽤나 어려웠어요. 아무래도 조금 어두운 분위기가 더 잘 어울릴 것 같군요.

2022.08.25
〈소년 점프+〉 번외편30

가슴이 뛰는 한순간. 그런 느낌의 그림을 그리고 싶었습니다. 두근.

2022.06.09
〈소년 점프+〉 번외편27

오랜만에 남매 그림! 이 두 사람이 나란히 있는 걸 좋아해서 사실은 더 많이 그리고 싶어요. 남매라서 부끄럽지 않은 가까운 거리감 같은 걸 진짜 좋아하거든요…. 그나저나 이 둘은 뭘 입혀도 잘 어울리는군요~.

2022.10.19
YJC 제9권 표지 커버

미나미 표지!! 아이돌은 아니지만, 그라비아용 수영복을 입고 표지에 등장하면 갑자기 다른 만화로 보이지 않을까… 등등 고민한 끝에, 결과적으로 미지의 과일 파라다이스가 되었습니다. 분명 이런 이상을 입을 때도 있을 거예요. 왠지는 몰라도 이상하게 가족들에게 좋은 평을 받았는데, '이제까지 그린 그림 중에 제일 좋아'라는 말을 듣고 '제, 제일겁'이라고 놀란 그림. 귀엽게 그려진 것 같긴 합니다!

2022.06.17
YJC 제8권 표지 커버

ルビ 조의 첫 표지 축하해 이 그림도 색을 고를 때 산뜻하고 고민한 기억이…. 눈동자 색을 무척 귀엽게 칠해서 마음에 듭니다. 잡감이 제 캐릭 아이의 색과 약간 겹치는 건 비밀입니다. 검은 루즈 삭스는 귀갑옷도 라고 꽤 예전 ○껏 어릴적 시절부터 범식했기 때문에, 위장해서 살아 유행하는 걸 보고 반가웠습니다.

65

60

62

61

66

2022.12.22
〈소년 점프+〉 번외편35

'크리스마스에 어울리는 그림을 그리자'라고 생각했는데 산타 소재는 이미 세상에 너무나도 많지, 시간은 없지, 아이디어를 짜낼 여유도 없지… 그래서 고육지책으로 순록. 빨간 머리이도록 크리스마스 컬러답겠다 싶어서 선택했는데, 색이 제한적이라 오히려 어려웠어요!

2022.10.20
〈주간 영점프〉
2022년 47호 컬러 페이지

회화적인 느낌을 의식해서 평소 같으면 확 올렸을 채도도 자제하고, 흐린 날씨를 이미지화…. 이 페이지를 그릴 당시의 본편 내용(제98화)도 뭔가 그런 느낌이었죠. 컬러는 기분 전환도 겸해서 비교적 매번 다양하게 도전하고 있는데, 이 그림도 어쨌든 목표했던 느낌으로 완성이… 되었나…?

2022.11.10
〈주간 영점프〉
2022년 50호 컬러 페이지

아시는 분들은 아시겠지만, 정말 인쇄할 때 가장 어려운 배색으로 칠하는 바람에 디자이너와 인쇄소 관계자를 울린 한 장입니다. 가뜩이나 평소에도 재현하기 어려운 색만 쓰는데, 이 그림은 그 최고봉이라고 할 수 있죠. 정말 고생 많으셨습니다…. 이런 색감의 아이 입체물이 있으면 특별하고 귀여울 텐데(또 고생을 끼치려 하고 있다…).

2022.11.03
〈소년 점프+〉 번외편32

유년기의 둘. 지금과 다른 듯한, 비슷한 듯한. 어린이용 드레스를 조사해봤더니 귀여운 게 끝도 없이 있어서 눈을 뗄 수 없었습니다.

2023.01.19
YJC 제10권 표지 커버

화이트 흑화 아 군. 두 눈의 검은 별이 돋보이도록 일부러 하얀 복장을 입혔습니다.

2023

69

68

63

67

64

2023.01.19
〈소년 점프+〉 번외편36

이건 최근에 가장 마음에 든 그림입니다. 친구들에게도 땅히 좋아서 기뻤어요. 색을 제한했는데도 꽤나 채 취향인 기묘한 색감이 나왔습니다. MEM쪽에겐 제 취향 옷을 입힐 수 있어서 짐 즐거웠죠. 이 그림이 아기랄 키체인 등으로 나오면 귀여울 것 같은데 어떠려나요.

2022.11.24
〈소년 점프+〉 번외편33

파란 차이나 드레스는 별로 그려본 적이 없는 것 같아서 신선했네요. 어떤 동영상을 떠올리신 분이 많아서 영광이었습니다. 지금 중국풍 옷을 디자인한다면 어떤 느낌일까~ 하고 요즘 개인적으로 좋아하는 여러 요소를 추가했더니 이렇게 되었어요. 이 두 명을 같이 세운 건 처음인가요? 둘 다 꽤나 그리기 쉬운 캐릭터라서 동작을 넣는 게 편했습니다.

2023.03.13
특전 신착 일러스트
YJC 1~3권 팬 활동 데뷔 세트

이제까지 없었던 느낌의 색감 & 의상이 되었을까요? 채색이 부드럽게 잘 돼서 만족스럽습니다.

2023.02.23
〈소년 점프+〉 번외편37

뉴트로한 색채를 목표로 삼았던 기억. 숨을 쉬듯 이 날개를 달아봤네요. 올겨울은 유난히 퀼팅 원단이 유행했었죠. 다음 일러스트가 날개 달린 아이(No.69) 뒤에 그렸기 때문에, 왠지 모르게 모녀가 세트인 느낌입니다.

2022.12.01
〈소년 점프+〉
번외편34

핑ㅇ 하우스풍 아이. 저는 최애에게 꼭 한 번은 핑하를 입히고 싶었기 때문에…. 핑하는 감성적. 하지만 아이는 왠지 평범한 포즈가 썩 어울리질 않고, 살짝 엉뚱한 포즈를 취하는 게 훨씬 느낌이 괜찮단 말이죠. 신기압니다.

74

2023.04.27

〈2023년 주간 영점프 증간 〈영점프 제일화〉 표지

신생 B코마치 3인조의 컬러 일 러스트는 처음이 아니, 꽤 예전 부터 그려달라는 부탁을 받기 는 했는데요… '세 명을 그리 는 건 힘드니까…' 언젠가, 언젠 가 그리겠습니다!'라고 칠칠 미 뤄왔던 것을, 드디어 그리게 되 었습니다!! 의상은 일부러 세 사람의 개성을 살려서 따로따 로, 맞춰 입은 것도 그려보고 싶네요. 아, 언젠가는 멀죠….

70

2023.03.17

YJC 제11권 표지 커버

붉은꽃 여자 아리마 카나. 제1권에 수록 된 내용에서 뜨거운 논란에 휩싸였기 때문이라는 단세포적 이유로…, '검은 색 경이다→ 빨강이다'라고 마음대로 칠 하고, 늘 미지막에 칠하는 장갑이 남 았을 때 평소처럼 '이런, 어울리는 색 이 전혀 없네…'라고 고민하던 차에 아리마 카나의 멤버 컬러를 떠올리고 '그래 과감하게 흰색'이라는 생각으로 칠해봤더니 무사히 잘 어울렸습니다.

75

2023.04.27

〈소년 점프+〉 번외편39

우사자키 시로 선생님께 채색을 부탁드렸습니다. 정말 신세만 지네요 …. 어마어마한 오라가 느껴지는 마감에 감동했습니다. 굉장하군요, 채 색은…. 채색은 정말 굉장하답니다. 컬러 그림은 그야말로 어떻게 칠하 느냐에 따라 달라져요. 세세한 부분까지 멋지게 마무리해 주셔서 감사 합니다. 퀸보다는 킹인 아이를 그리고 싶었어요.

71

2023.03.30

〈소년 점프+〉 번외편38

부활절 아카네. 아카네는 아무래도 쿨뷰티 일러스트 로 그리기 십상이라 큐트한 면모도 느끼게 해주고 싶었 어요! 노란색은 평소에 아 카네에게 잘 쓰지 않는 색 상이라서 어떨까 싶었는데, 해보니 귀엽게 잘 나와서 아주 만족스럽습니다~.

76

2023.05.11

〈소년 점프+〉 번외편40

제10권 표지인 화이트 흑화 아 군의 퇴짜맞았던 초안을 완성했습니다. 제1권에서 아이가 취한 포즈 를 오마주했죠. 아쿠아는 점 점 돌이킬 수 없는 어둠 속 으로 떨어지고 있군요. '어디 까지나 함께할게'라는 마음 으로 그리겠습니다.

72

2023.04.06

〈주간 영점프〉 2023년 19호 컬러 페이지

이 그림은 우사자키 시로 선생님께 채색을 부탁드렸습니다. 채색은 항상 다 맡기는 편인데, 이 그림은 제 채색 스타일을 꽤나 의식하신 것 같습니다. 감사합니다. 막판에 제가 살짝 손대긴 했는데, 정말 재현도가 높아서 놀랐어 요. 머리카락이 가운데에서 섞이는 부 분이라든가, 저도 뭐가 뭔지 알 수가 없어서 통째로 떠넘겼는데도 이런 퀄 리티입니다.

77

2023.07.19

〈최애의 아이〉 1st 일러스트집 Glare×Sparkle 표지 커버

친구가 '아이로 아직도 이렇게 멋진 그림을 그릴 수 있냐'라며 놀 랐는데, 아이와 함께라면 어디까지라도 말 수 있을 것 같아…(웃 음). 그런 기분이 들게 하는 신기한 여자아이입니다. 정말 마음에 드는 한 장입니다!

73

2023.04.15

칸다묘진 창건 1300년 칸다묘진 자료관 특별전 〈일본의 축제전〉 신작 일러스트

무녀 아이돌 아이. 스포 트라이트가 잘 어울릴 것 같아서 일부러 밤으 로 골랐습니다.

MATERIAL CREATION

작품에 관련된 '자료'를 게재. 각각의 특징이 드러나는 캐릭터의 사인. 그리고 연재 시작 전의 '창조' 과정을 알 수 있는 캐릭터 디자인 설정과 작가의 해설을 첨부한 제1화 콘티 전 페이지를 수록. 이 책에서만 볼 수 있는 내용도 한가득!

【최애의 아이】 1st Illustrations
Glare×Sparkle

【 **사 인 컬 렉 션** 】

캐릭터의 개성이 담긴 사인은 연예계를 무대
로 하는 이 작품만의 포인트. 처음으로 공개
하는 사인도 확인 필수!

★ 아 리 마 카 나

★ B 코 마 치 아 이

★ 쿠 로 카 와 아 카 네

★ 호 시 노 아 쿠 아

★ M E M 쵸

★ 호 시 노 루 비

★ 시라누이 프릴

★ 키치죠지 요리코

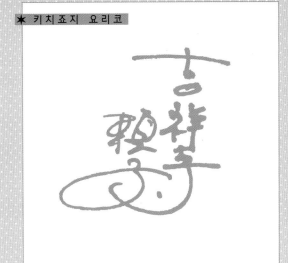

★ 나루시마 메루토
※ 일러스트집 최초 공개

★ 사메지마 아비코

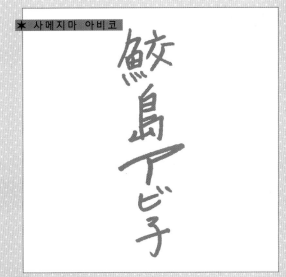

★ 삐에용
※ 일러스트집 최초 공개

★ 코토부키 미나미

REDESIGN

【극비! 초기 캐릭터 디자인】

아카사카 아카 선생님의 원안부터 요코야리 멘고 선생님의 완성형까지, 제1권에 등장한 주요 인물의 설정화를 일러스트집에서 최초 공개!! 설정과 관련된 귀중한 메모들도!

아카사카 아카(원안) ver.

호시노 아이(가칭)
눈동자에 아스테리즘이 있음. 16세.
헤어 세팅을 하지 않았을 때는 의외로 머릿결이 푸석푸석한 편.
스프레이로 고정.
이미지를 확립하기 위해, 아이콘으로써
헤어스타일은 늘 동일하게 유지하고 싶어 함.

스타 효과, 아스테리즘 효과, 별빛 효과.
보석에 반사되는 빛. 루비, 사파이어에 잘 나타남.
재능의 상징.

B코마치 아이

① 自信のあるかんじにしたいので
ちゃ つりめ
② あけめ
こっちが
かわいやい
ので
逆に…
③ アイ
ちゃん

요코야리 멘고 ver.

사리나

병실의 소녀, 향년 10세.
머리카락이 없어서 니트 모자를 씀.
눈썹 숱도 거의 없는 편. 감기에 걸리면
목숨이 위험하니 항상 두꺼운 옷을 입음.

아카사카 아카(원안) ver.

의사

불쾌감을 주지 않도록
살짝 잘생긴 느낌,
청초한 느낌.
아마도 20대 후반.

④ 赤ちゃんズ

고로 & 사리나
(아쿠아 & 루비)

요코야리 멘고 ver.

⑩ かわいいから
⑨ ライチャンの
グッズ
⑦ ちょっと
熱血アニメ
ぽいのに
インテリ
だから
メガネは
アンダーリム
⑧ いしゃ
⑪ タレ目
⑫ さりな
⑤ 目いきる?
⑥ あかちゃん

사이토
미야코

아카사카 아카(원안) ver.

⑮ 下でそうがらない…
⑯ くちびるは
ヒアルでパーン
⑬ 社長夫人
⑭ かみがた
2020
ゆうてる
いちまつ

사장 부인
25세 정도, 전직 모델, 허영심 많음.
성형 신봉자. 술집 도우미 출신.
그때 물이 다 빠지지 않았음.
저금은 히알루론 주사로 탕진함.

요코야리 멘고 ver.

④ 아기들 ⑤ 눈에 별? ⑥ 아기들 ⑦ 조금 열혈 애니메이션 같지만 인텔리이니까 안경테는 언더림으로 ⑧ 의사 ⑨ 아이 굿즈 ⑩ 귀여운 무늬
⑪ 처진 눈 ⑫ 사리나 ⑬ 사장 부인 ⑭ 머리 모양을 자주 바꾸는 것도 괜찮을지도 ⑮ 보톡스 때문에 안 움직임… ⑯ 입술은 히알루론 덕분에

【연재 제 1화】 콘티

제1화 콘티를 통째로 수록! 콘티를 탄생시킨 아카사카 아카 선생님과 작화로 완성시킨 요코야리 멩고 선생님의 해설 코멘트도 첨부. 여기에서만 볼 수 있는 비화가 한가득!

❶매니저 ❷돌덕 주인공 ❸사리나 ❹조명 ❺아이 ❻모니터 ❼제목

AKA's POINT

초반부 스튜디오 장면(①~③)을 그리기 위해서 실제로 TV 방송 녹화 현장을 취재했습니다. 방송 시작 전 카운트다운은 '4, 3, 2…'까지만 센다 등등 업계 특유의 발견도 많았죠. 양면 페이지(②~③)의 컷 분배는 제가 지금까지 연재한 작품의 제1화와 마찬가지로 우측에 글자, 좌측에 그림을 크게 싣는 방식으로 표현했습니다.

⑧오오오오오 ⑨아아아아아 ⑩오오오 ⑪아이—!!! ⑫이 연예계에서 ⑬거짓말은 무기다.

MENGO's POINT

이 콘티보다 먼저 나온 초고 콘티에서는 ①~②의 모놀로그가 '우리에겐 비밀이 있다. 이 거짓말은 끝까지 밝혀져선 안 된다. 이 연예계에서 거짓말은 무기다'라는 대사였습니다. 이 중에서 '이 연예계에서 거짓말은 무기다'라는 말은 남겨두고 싶었기 때문에 ⑥의 고로가 외치는 장면에 넣기로 했습니다.

❶여기 ❷Tokyo까지 ○○km. ❸트렌드 ❹B코마치·아이 건강 문제로 활동 중단
❺걱정돼…. 건강 문제 ❻훌쩍 훌쩍 ❼진심 소름… ❽병실 ❾○○ 세리나 ❿아이

⑧에서 알 수 있듯이 콘티 단계에서는 고로의 이름이 정해져 있지 않았습니다. ②에도 '돌덕 주인공'이라고 적혀 있죠. 이름을 정할 때 제가 '이미지적으로는 '고로(吾郎)'같은 얼굴'이라고 제안했더니 채용되었고, 표기를 살짝 모호하게 바꾼 '고로(ゴロー)'로 등장시켰습니다. 그리고 ⑩에서 사리나의 이름이 '세리나'로 돼 있는데, 이건 잘못 쓴 겁니다(웃음).

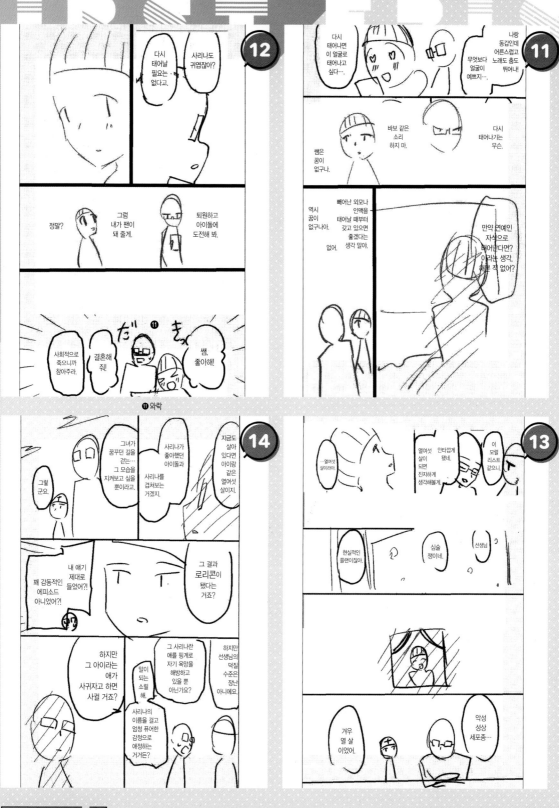

AKA's POINT

⑬~⑭를 보면 콘티를 자르고 붙인 흔적이 있죠. 컷, 페이지 교체를 다양하게 시도한 끝에 이렇게 정리되었습니다. 고로와 간호사의 대화나 사리나와의 회상 장면은 초고 콘티에서 대사나 구도를 바꾸며 꽤 많이 수정했습니다.

MENGO's POINT

제1화 콘티이다 보니 아카 선생님이 평소보다 자세히 적어주셨네요. 제1화 콘티는 연재 회의에서 작품의 분위기를 알리는 역할도 하기 때문에 작품을 불문하고 전체적으로 지시 사항이 많은 경향이 있습니다. 《최애의 아이》제1화의 콘티는 완벽했기 때문에 저는 후반에 아이디어를 조금 낸 정도입니다.

❹빠악 ❺깜짝

AKA's POINT

최애 아이돌이 임신했다는 전개(⑲) 말인데, 사실 《최애의 아이》를 구상하기 한참 전인 2012년 시점에 아이돌을 소재로 한 만화 플롯을 썼습니다. '빚을 진 가족 대신…'이라는 내용으로 《최애의 아이》와 아예 다른 설정이죠. 어쩌면 《최애의 아이》가 그런 얘기인 세계선이 있었을지도….

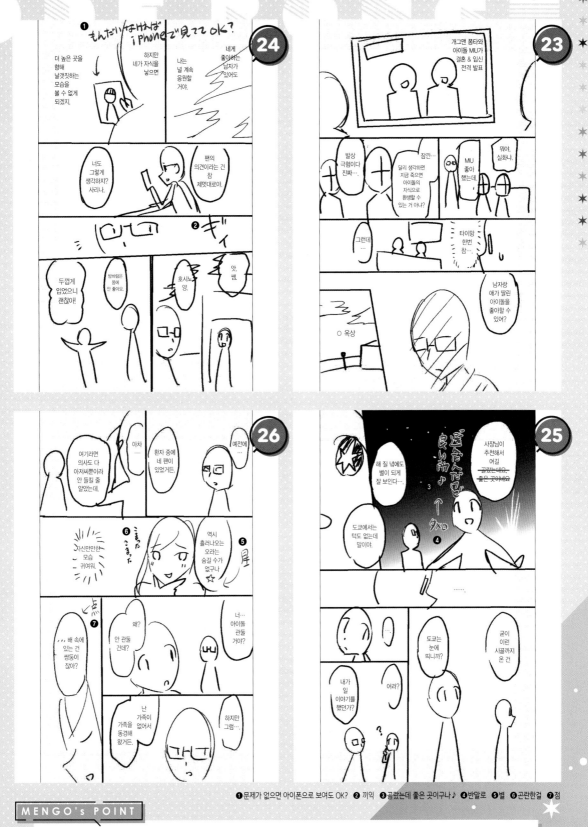

❶문제가 없으면 아이폰으로 보여도 OK? ❷끼익 ❸골랐는데 좋은 곳이구나♪ ❹반말로 ❺별 ❻곤란한걸 ❼점

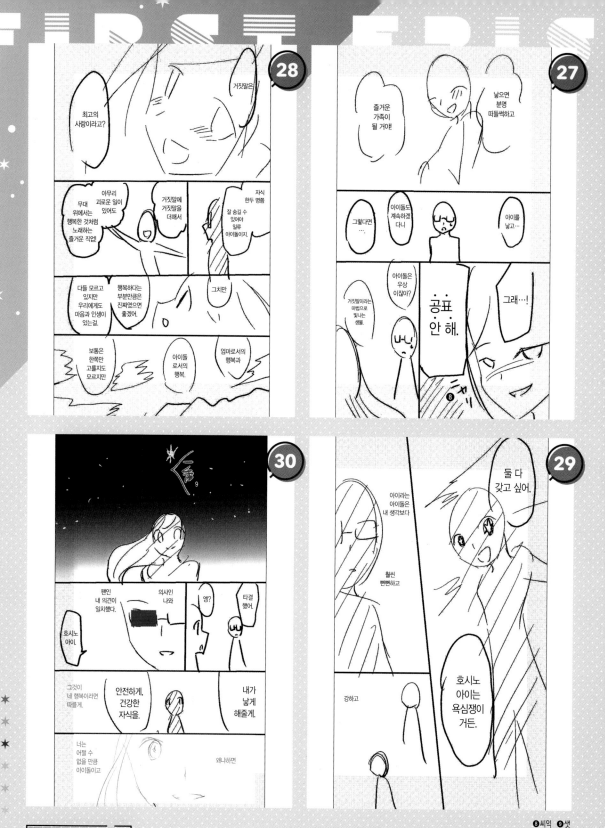

①—21주 ②접수 ③—25주 ④—28주 ⑤두개골 8cm부터 가능해 ⑥수영복 일이… ⑦—35주 ⑧항복 ⑨병원

MENGO's POINT

고로와 아이의 장면(30~31)의 모놀로그안으로 아카 선생님이 두 개를 준비하셨는데, 다른 하나는 '그래, 의사인 나도 팬인 나도 첫째로 바라는 건 너의 행복이야'라는 대사였습니다. 그 외에 저도 아이디어를 냈지만, 결국 아카 선생님 아이디어 만한 게 없었기 때문에 이 대사로 결정했습니다.

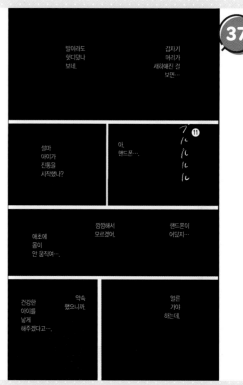

⑩ 움찔 ⑪ 뚜루루루

AKA's POINT

암전 상태에서 대사만 띄우는 기법(㊱~㊲)은 〈애인[AI-REN]〉이라는 만화에서 영감을 받았습니다. 저도 멘고 선생님도 좋아하는 만화인지라 신이 나서 그랬죠(웃음).

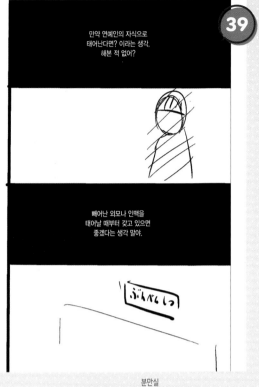

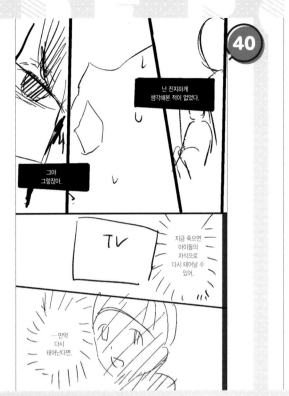

분만실

END

AKA's POINT

암전에서 환생 장면으로 전환까지(㊱~㊶)는, 초고 콘티 때는 암전 중에 고로의 모놀로그가 한 페이지 더 많았습니다. 그런데 다듬는 과정에서 사리나를 회상하는 장면부터 마지막 페이지까지 속도감을 더 주고 싶어졌기 때문에 과감하게 덜어냈습니다.

AKA AKASAKA × MENGO YOKOYARI

'아카사카 아카 선생님'의 스토리와 '요코야리 멘고 선생님'의
그림으로 완성되는 《최애의 아이》, 일러스트와 스토리에 대한
두 사람의 대담, 그리고 두 사람의 팬이라면 꼭 봐야 할, 2022년
주간 영점프 증간 〈영점프 히로인2〉에 게재된 특별 컬래버레이
션 만화를 수록.

[최애의 아이] 1st Illustrations
Glare×Sparkle

AKA
AKASAKA

아카사카
아카

CREATORS × TALK

요코야리
멘고

MENGO
YOKOYARI

'곱하기'로만 표현할 수 있는 두 명의 상승효과로 태어난 작품

—— 《최애의 아이》 일러스트집 발매 결정 소식을 들었을 때의 소감을 부탁드립니다.

요코야리 멘고(이하, 요코야리) : 솔직히 '황송하다' 라는 마음뿐이네요. 제가 그림만으로, 심지어 컬러 일러스트만으로 싸울 수 있을 거라는 생각을 못해봤거든요. 자신이 없었으니까 '일러스트집' 이라는 얘기를 듣고 무척 긴장했죠. 하지만 지금은 '《최애의 아이》가 주제라면 내는 것도 괜찮을 것 같다…' 라고 생각합니다.

아카사카 아카(이하, 아카사카) : 《최애의 아이》는 5주에 한 번씩 휴재하는 페이스로 연재하고 있습니다. 멘고 선생님은 본편이 휴재하는 타이밍에 '소년 점프+'에 번외편으로 공개하는 '휴재 일러스트'를 작업하시는데, 그걸 보면서 '정말 힘들겠네…' 라고 늘 생각했거든요. 그래서 그런 작품들을 이렇게 하나로 모아 일러스트집이라는 형태로 엮어내서 독자 여러분들께 즐거움을 드릴 수 있는 기회가 생기니 참 좋습니다. 멘고 선생님은 조금 전에 자신이 없다고 하셨는데, 선생님 그림은 멋지니까 '다들 꼭 봐줘!' 라는 기분이네요.

—— 일러스트집 제목 〈Glare×Sparkle〉에는 어떤 마음을 담으셨나요?

아카사카 : 멘고 선생님은 본인이 제목을 정하는 게 부끄럽다는 얘길 하셨었죠.

요코야리 : 그럴 수밖에 없는 게, 되게 어렵지 않나요? 예를 들면 자기 사진집 제목을 직접 짓는 거랑 비슷하니까(웃음). 그래서 편집부에서 제시한 후보 단어 중에서 'Glare' 와 'Sparkle'을 골랐어요. 'Glare' 는 찬란함, 눈부심. 'Sparkle' 은 반짝거리는 빛, 그런 뜻들이 있죠. 《최애의 아이》는 강렬함과 동시에 반짝반짝 화사하고 사랑스러운 느낌도 내고 싶다는 마음으로 그리고 있으니까, 이 마음을 표현하는 데 딱 맞는 단어라고 생각했어요. 그리고 《최애의 아이》의 작가명을 표기할 때는 '아카사카 아카×요코야리 멘고' 로 하니까, 일러스트집 제목에도 '×' 가 들어가면 좋을 것 같았죠.

아카사카 : 저도 '×'를 넣자는 의견에 찬성했어요. 사실은 제목 작명 건으로 질문받을 때를 대비해서 몰래 후보군을 몇 개 준비해뒀는데, 창피하니까 얘기를 안 해도 되게 되어서 다행이었죠(웃음).

요코야리 : 그런 얘기는 빨리 좀 해주지! 어떤 걸 준비했어요?

아카사카 : 'AI' 라는 글자가 들어가고, 빛, 무지개, 보석에 관련된 말을 열심히 찾아봤죠. 제목이나 눈에 띄는 곳에 영단어를 쓸 때는 읽는 법을 한눈에 알 수 있는 단어가 좋다는 게 제 지론이라서 고르기 힘들더라고요. 그런데 일러스트집은 멘고 선생님의 작품을 모은 책이기도 하니까, 결국 제목은 멘고 선생님께 맡기자고 생각했습니다.

요코야리 : 그 외에도 '퍼스트 스테이지' 라는 단어가 후보에 있었어요. 알기 쉬워서 좋긴 한데, 속성을 좀 더 드러내고 싶어서 최종적으로 이 제목으로 결정했습니다.

—— '×' 표기에는 고집이 있는 거군요.

요코야리 : 네, 저는 〈HUNTER×HUNTER〉를 좋아하거든요(웃음). 그리고 '+' 보다는 '×' 가 우리 작가들의 상승효과를 표현할 때 더 잘 맞아요. 《최애의 아이》라는 작품을 설명할 때는 '곱하기' 말고는 표현할 방법이 없겠다는 느낌이 있거든요.

아카사카 : 원작이 저, 작화가 멘고 선생님이니까 스토리에 멘고 선생님이 관여하지 않는 것처럼 보일 수가 있는데, 멘고 선생님께 의견을 물을 때도 있으니 그런 점도 '×'로 표현할 수 있는 것 같습니다.

요코야리 : 그래도 스토리는 거의 다 아카 선생님 힘이지만요. 만화를 만든다는 건 정말 순수한 곱셈이에요. 예를 들자면 아카 선생님의 전투력과 제 전투력을 더한 숫자가 작품이라는 결과로 나오는 게 아니라, 서로의 힘이 뒤섞여서 완성되는 거니까 역시 '×'로 표현하는 게 딱 맞다고 봅니다.

아카 × '이겼구나!', 라고 생각했습니다 아이의 일러스트를 본 순간

아카사카 : 예전에 제가 어시스턴트로 일했던 카타오카 진세이 선생님은 작품에 이름을 표기할 때 원작과 작화로 구분하지 않고 콘도 카즈마 선생님과 나란히 표기하셨거든요. 그걸 보고 멋지다는 동경심을 계속 품어온 것도 '×'로 정하는 데 큰 영향을 주었죠.

요코야리 : 처음에 '×'로 하자는 얘길 꺼낸 건 아카 선생님이었죠.

아카사카 : 그때도 멘고 선생님이 '〈HUNTER×HUNTER〉처럼?!'이라는 말을 하신 게 기억나네요.

요코야리 : 난 그때도 그랬구나(웃음). 하지만 '×'라서 좋은 거예요. 다른 기호가 들어가면 이상하잖아요. '♥'라든가(웃음).

작품 컬러링의 기준점이 된 파워풀한 일러스트

—— 《[최애의 아이]》는 일러스트가 참 많은데, 두 분이 특히 좋아하는 일러스트는 무엇인가요?

아카사카 : 역시 단행본 제1권 표지 일러스트의 아이를 빼놓을 순 없겠죠. 그 일러스트를 본 순간 '이겼구나.'라고 생각했습니다(웃음). 멘고 선생님이 이제까지 그리신 작품의 표지 일러스트는 캐릭터가 당당하게 정면을 보는 게 많고, 눈동자 안쪽은 늘 우주처럼 반짝반짝 빛났거든요. 제1권 표지 일러스트 작업에 착수하기 전부터 이 요소는 《[최애의 아이]》에도 꼭 넣어주시길 바랐습니다.

요코야리 : 아카 선생님이 그렇게 말씀하셔서 의식하며 그렸어요. 그리고 제가 예전에 일러스트를 맡았던 〈spica〉(코단샤)의 표지가 좋았다는 얘기도 했으니 그런 분위기를 내면 되겠구나 싶었죠. 결과적으로 꽤나 힘이 넘치는 일러스트로 완성되었고, 작품의 상징으로 다양한 곳에 쓰이고 있으며, 팬 여러분도 많이 따라하고 계시네요.

아카사카 : 전 온갖 곳에서 아이처럼 브이 포즈를 취한답니다(웃음).

요코야리 : 처음에는 바스트업 일러스트를 기대하는 줄 알고 평범하게 정면을 보는 아이를 그렸어요. 그런데 담당 편집자님이 '그림에서 동세가 느껴지면 좋겠으니 손도 넣어주세요'라는 요청을 했고, 아카 선생님이 이 포즈의 원형 같은 밑그림을 보내주셨거든요. 그러니 이 표지 커버 일러스트는 아카 선생님과 저와 담당 편집자님 세 사람의 합작이라고 할 수 있겠네요.

아카사카 : 혀를 메롱 내밀자는 의견도 밑그림을 보낼 때 같이 냈던 것 같아요.

요코야리 : 그때 뉘앙스를 알아차린 제가 〈카구야 님은 고백받고 싶어〉(이하, 〈카구야님〉) 단행본 제2권 후지와라 치카의 표지 일러스트, 그리고 〈spica〉의 표지를 참고해서 최종적으로 이 일러스트가 완성됐습니다. 그러니 이건 말하자면 키메라 같은 상태(웃음).

—— 이 일러스트는 '×담당 편집자'인 거군요.

요코야리 : 네, 셋이 함께 완성한 일러스트죠. 애착이 참 많이 가요.

아카사카 : 담당 편집자님은 '사람들이 따라하고 싶을 만한, 코스프레 하고싶을 만한 의상이면 좋겠어요'라는 말을 자주 하잖아요.

요코야리 : 네네. 당시에는 딱히 깊이 생각하고 그린 건 아닌데, '이러면 귀여우려나' 하고 생각하며 그린 옷이 아이의 아이콘 같은 게 됐고, 애니메이션 캐릭터 비주얼도, 아이의 코스프레 의상도 전부 이 옷이 되어버렸어요. 그런데 저는 같은 옷을 몇 번씩 그리는 게 서툴러서 이후로는 한 번도 등장하지 않았네요.(웃음)

아카사카 : 이 일러스트는 《[최애의 아이]》 컬러링의 기준점이 되었죠. 멘고 선생님의 컬러링은 《[최애의 아이]》 애니메이션에도 무척 강하게 반영돼서 애니메이션 작화에도 색이 다양하게 들어가 있어요. 멘고 선생님의 존재는 정말 커요.

요코야리 : 표지는 특히 화려함을 추구해서 눈에 띄는 사람의 승리! 설령 그게 위화감이라고 해도, 아무튼 눈에 띄는 게 좋다는 마인드거든요. 그러니 기억에 남아야 한다는 생각을 무엇보다 우선하면서 얌전하게 완성되지 않게 주의하고 있죠. 제1권 표지 일러스트도 노란색이나 파란색 등 분홍색의 반대색만 썼고요. 색채 관련 자격증을 가진 사람이 보면 기겁할 걸요? '이 색과 이 색은 충돌하니까 같이 두면 안 된다' 같은 기본을 전부 부숴버리니까(웃음).

아카사카 : 멘고 선생님은 〈카구야 님〉 표지를 보고 '표지에 원색을 넣고 싶다'라는 얘기를 누차 하셨는데, 이 일러스트는 장갑에 강렬한 원색이 들어 있죠.

요코야리 : 서점 단행본 코너에 갔더니 〈카구야 님〉 표지의 채도가 높아서 눈에 확 띄기도 했고, 저도 채도가 높은 그림을 좋아하니까 《[최애의 아이]》에서도 그렇게 하고 싶었거든요. 제2권 이후의 표지에서도 장갑을 칠할 때는 의식적으로 채도가 높은 원색을 골랐고요.

아카사카 : 단행본 표지 일러스트에서는 캐릭터들이 기본적으로 장갑을 끼고 있죠.

요코야리 : 장갑은 아이돌의 상징이라고 생각해요. 〈카드캡터 사쿠라〉도 장갑을 끼고 있잖아요.

—— 의상을 디자인할 때 참고하는 게 있나요?

요코야리 : 초기 AKB48 계열? 그리고 저는 아무래도 업프론트 쪽 팬이라서(웃음). 여러모로 참고하는 편이네요. 그리고 서브컬처 계열 아이돌 쪽에서 따온 것도 많고요. 기본적으로 얌전한 느낌보다는 활달한 이미지의 디자인을 의식하고 있어요. 아쿠아의 의상 같은 경우에는 남성 아이돌 그룹 의상을 간단히 살펴보는 경우도 있는데, 의상에 특정 모델이 있는 경우는 거의 없네요.

텐션 높은 아이와 대조적인 카구야의 귀중한 컬래버

아카사카 : 그리고 마음에 남는 일러스트를 꼽자면 뭐니 뭐니 해도 아이와 카구야의 투샷이 있겠네요! 이건 멘고 선생님이 맡으신 아이의 일러스트가 먼저 완성된 후에 작업에 착수했기 때문에, 저는 멘고 선생님의 채색에 어떻게든 맞춰야 한다는 부담감 속에서 그렸습니다.

멘고 × 눈에 띄는 사람의 승리! 표지는 화려함을 추구해서

요코야리 : 굳이 그럴 건 없는데 말이죠(웃음).

아카사카 : 하지만 맞추는 게 즐거웠어요.

요코야리 : 아카 선생님 그림과 제 그림이 합성한 것처럼 나란히 있는 게 재밌어 보이는 기획이라고 생각했는데, 되게 잘 맞추시더라고요. 많은 분들이 '둘 다 멘고 선생님이 그린 거예요?' 라고 물어봤어요.

아카사카 : 다시 보니까 제대로 못 따라한 부분이 엄청 많네요. 역시 멘고 선생님의 컬러링은 온리 원이고, 누구도 흉내 낼 수 없다니까요.

요코야리 : 무슨 말씀을. 거의 완벽한데요! 저는 아카 선생님 스타일로 컬러 일러스트를 그리라는 주문을 받으면 아마 못 할걸요? 이 카구야의 머리 색도 〈카구야 님〉에서는 본 적 없는 채도죠.

아카사카 : 카구야 손끝의 느낌도 좋죠? 평소에는 자신감 넘치는 카구야가 아이 옆에서는 살짝 우물쭈물하는 모습이 마음에 듭니다.

요코야리 : 두 사람의 차이가 드러나서 좋아요. 아이 쪽이 한 발짝 앞으로 나온 거라든지.

—— 이 구도는 요코야리 선생님이 정하셨나요?

요코야리 : 네. 어느 정도는 정해 둬야 아카 선생님이 작업하기 편할 것 같았거든요. 제가 그리는 여자아이는 에너지가 넘치기 때문에 밑그림 단계에서는 카구야도 '예이~!' 하는 활달한 이미지였는데, 완성되니까 소심하게 변했네요(웃음).

아카사카 : 예전 컬래버 문화 비슷한 느낌이라 재밌었어요.

요코야리 : 아카 선생님과 사적으로는 함께 그림을 그리지 않으니까 신선했어요. 같이 드로잉 채팅을 해본 적도 없고.

아카사카 : 옛날에는 드로잉 채팅을 자주 했는데, 지금은 '그림 그리기 싫어!' 라는 인간이라서(웃음). 그래도 이때 멘고 선생님과 합작해서 좋았어요. 귀중한 추억의 한 장이랄까.

요코야리 : 기념촬영 같은 맛이 있죠.

'절대로 실패할 수 없어!'라는 압박감 속에서 태어난 아리마 카나

아카사카 : 제4권 표지를 차지한 카나의 일러스트도 마음에 듭니다. 보자마자 '엄청 귀엽게 나왔네' 라고 생각했죠. 일러스트가 완성되고 표지 커버 디자인을 결정할 때 어디에 포커스를 맞출지 고민했어요. 하늘하늘한 스카프까지 싣고 싶기도 하고, 한편으로는 이 귀여운 얼굴을 더 클로즈업해서 싣고 싶기도 하고, 꽤 갈등했습니다.

요코야리 : 저는 제2권, 제3권 표지처럼 카나의 얼굴도 클로즈업으로 싣고 싶어서 그걸 전제로 일러스트를 그렸거든요. 그런데 아카 선생님이랑 담당 편집자님이 '약간 빼는 구도가 좋겠다' 라고 하더군요.

아카사카 : 멘고 선생님은 이 하늘하늘한 느낌이 얼마나 좋은지 몰라서 그래요!

요코야리 : 하늘하늘한 스카프가 그렇게 좋아요?

아카사카 : 자기가 그린 일러스트의 포인트를 모르다니(웃음). 머리카락도 흔들리고 있잖아요. 남자들은 하늘하늘한 것에 환장한다고요.

요코야리 : 동물의 수렵본능 같은 건가?(웃음) 제4권은 신생 B코마치 3인방의 컬러 형광봉을 휘두르는 아쿠아에게, 카나가 '네 최애가 되어주겠어' 라고 다짐하는 편도 수록돼 있으니 카나의 형광봉 컬러는 흰색이라는 정보는 독자 여러분도 알고 계셨겠죠. 그러니 장갑을 흰색으로 칠해도 좋았겠지만, 눈에 띄게 노란색을 골랐습니다.

아카사카 : 노란색도 느낌이 좋아요.

요코야리 : 그리고 카나의 얼굴이 좀 과하게 어려졌어요.

아카사카 : 로리 선배니까(웃음).

요코야리 : 그건 그런데, 유독 앳된 느낌이…. 아역 시절 카나와 현재 카나의 중간 정도 외모가 되어버렸죠. 그래도 이 모자는 귀엽죠?

아카사카 : 아리마 카나는 모자를 써야 제맛이니까요.

요코야리 : 본편에서 아리마 카나의 인기가 올라가는 걸 느끼던 때였으니까, '드디어 표지 일러스트에 실리는 건가?! 이건 실패할 수 없어!' 라는 압박감이 엄청났어요. 그런 압박감 속에 기합을 담아 그린 일러스트는 실패하는 경우도 흔하니까 엄청 조심했죠. '이건 실패할 수 없어!' '진짜 중요한 그림이야!' 라고 생각하면 왠지 얼굴이 밋밋해지거나, 귀여운 맛이 없어지거나 하지 않요?

아카사카 : 맞아요! 마음처럼 안될 때가 있죠.

요코야리 : 그래도 이 카나는 귀엽게 나왔습니다.

아카사카 : 잘됐네, 잘됐어.

이것이 두 사람의 '최애 컷'! 모든 컷을 귀엽게가 기본

—— 두 분의 '최애 컷'을 가르쳐주세요.

요코야리 : 너무 많아서… 어렵네요.

★★★ 그릴 때 즐거운 건 아이와 MEM쵸 ★★★

아카 : 애니메이션의 영향도 있어서 우리는 아이를 신성시하기 시작했죠.

요코 : 아이는 절대적으로 귀여우며 아이돌 오라가 잔뜩 풍기도록 그려야 한다는 고집이 제 마음속에 있기 때문에 팔이 근질거립니다! 그리고 MEM쵸도 그릴 때 즐거워요.

아카 : MEM쵸의 뿔은 멘고 선생님 디자인이죠.

요코 : 네. 중간에 중심 캐릭터가 되면서 각종 요소가 더해졌죠. 입는 복장도 제가 좋아하는 장르에 가깝다 보니 그리고 싶은 것에 대한 영감이 쉽게 떠올라요!

아카사카 : 인상에 남은 컷은 정말 많아요. 퍼스트 스테이지 편에도 좋아하는 컷이 많죠. 아까도 잠깐 얘기가 나온 카나가 '네 최애가 되어주겠어'라고 다짐하는 컷이라든가. 그리고 제1권에서 아이가 죽는 장면도요.

요코야리 : 아이가 죽는 편은 정말 최선을 다해 그렸어요. 예전에 그린 그림을 돌아보면 '여긴 이렇게 하는 게 나았겠다' 등의 반성점이 보이기 마련인데, 이 편은 당시의 제가 가진 모든 것을 동원해서 그렸기 때문에, 지금 봐도 미련이나 다시 그리고 싶다는 아쉬움이 비교적 적은 편이네요. 아이의 숨이 완전히 끊어진 얼굴을 보고 '죽음을 정말 멋지게 표현했다'라며 팬이 된 사람도 있나 보더라고요.

아카사카 : 그걸 보고 빠지는 경우도 있구나.

—— 2.5차원 무대 편은 비스듬하게 들어간 글자나 붓으로 그린 듯한 선 등 인상적인 컷이 많은데요, 이런 건 콘티 단계에서 아카사카 선생님이 지정하신 건가요?

아카사카 : 맞습니다. '연기'의 굉장함을 만화로 표현하는 건 워낙 어려운 일이라 멩고 선생님의 작화력에 의존하는 부분이 많았거든요. 그래서 제가 어떤 아이디어를 낼 수 있는지 생각해보고 2.5차원 무대 편 때 제안했죠. 멩고 선생님이 그 아이디어를 멋지게 형태로 만들어 주셔서 참 기뻤어요.

요코야리 : 하지만 2.5차원 무대 편은 당시의 기억을 떠올리고 싶지 않을 만큼 힘들었네요(웃음). 물론 저 나름대로 최선을 다했지만, 특기 분야가 아니니까 전혀 자신 없는 부분이 있었죠. 정말 매주 실력 부족을 통감하느라 마음고생이 심했어요. 메루토의 표정, 양면 페이지 등등, 정말 무엇 하나 쉬운 게 없었죠.

아카사카 : 계속 '언제 끝나? 있잖아, 2.5차원 무대 편 대체 언제 끝나?'라고 말씀도 참 많이 하셨죠(웃음).

요코야리 : '다들 얼른 사복으로 갈아입어 줘!'라고 생각하며 그렸어요(웃음). 그래도 2.5차원 무대 편은 고생도 많이 했지만, 그간 그려본 적 없는 구도가 많아서 즐겁기도 했어요.

아카사카 : 2.5차원 무대 편은 저도 힘들었어요. 취재량이 제일 많았던 시기라 고생했습니다. 극장 지배인, 배우 등등 다양한 분들을 만나 얘기를 들으면서 연극 업계에 대해 자세히 배웠죠. 배우들은 어떤 것에 대한 생각과 말투가 제각각이라서 기준을 알기가 어려워요. 단어 하나만 해도 "'연기'가 아니라 '시바이(芝居)'라고 합니다" 등 규칙 비슷한 게 많아서, 무대 기초 지식과 세세한 규칙을 계속 의식하다 보니 숨이 턱턱 막히더라고요.

요코야리 : 그쵸. 저는 아무튼 '캐릭터의 얼굴이 귀엽다'라는 게 제 아이덴티티라고 생각하니까, 아무리 피곤하고 힘들어도 얼굴만큼은 정말 귀엽게 그리고 싶거든요. 하지만 귀엽게 그리면서 무대 연기를 시키는 건 엄청 어려웠어요.

아카사카 : 저는 분명 콘티 단계에서 '무서운 얼굴로'라고 지정했는데 말이죠.

요코야리 : 표정을 살리면서 '귀엽게'와 '무섭게'를 동시에 표현하는 건 어려운걸요!

아카사카 : 저는 그 반대네요. 〈카구야 님〉을 연재할 때는 이때다 싶은 순간에만 귀여우면 된다고 생각했어요. 다른 때에는 조금 무섭게 그려도 좋고요.

요코야리 : 그런 불균형을 만들어 달라고 하셨었죠.

아카사카 : 모든 컷에서 귀엽게 나오면 정작 독자들에게 '귀여워!'라고 생각하게 하고 싶을 때 의도가 전달되지 않을 수도 있겠다 싶었거든요. 하지만 귀엽게 그리고 싶을 때는 최선을 다해 귀엽게 그립니다.

요코야리 : 저는 '기본적으로 귀엽게, 중요한 순간에는 더 귀엽게!'를 지향하네요. 평균치를 올리고 싶어요.

아카사카 : 귀여움의 레벨을 더욱 올린다, 라는 의식이군요.

요코야리 : 그 외에 최애 컷…이랄까, 코토부키 미나미는 전반적으로 귀엽게 그리는 편이네요. 미나미는 매 컷 '교토 애니메이션 느낌으로!'라고 생각하면서 그려요(웃음).

아카사카 : 미나미는 귀엽죠.

요코야리 : 그리고 독자분들의 얘기를 듣고 좋아하게 된 컷도 있어요. 제9권에 신생 B코마치 세 명이 라이브에서 마무리 포즈를 취하는 컷이 있는데, 이 부분은 나중에 좋아하게 됐어요. 작중에 이 라이브를 방송으로 보는 팬 캐릭터가 '카나는 얼굴이 어둡고, 루비에겐 계산적인 분위기와 어둠이 느껴진다'라고 말하는 장면이 있는데요. '이 컷의 카나와 루비의 표정, 작중 인물의 대사 그대로 그림으로 표현하다니 대단해!'라는 독자의 칭찬을 듣고 '그래, 이 컷은 제대로 표현해냈구나'라고 생각했습니다. 그림을 그리는 본인은 아무래도 잘 모르는 부분이 있기 마련이니까 참 기뻤어요.

금기에 도전한 '본인 이야기' 만화가 에피소드

요코야리 : 아비코와 요리코가 철야로 원고를 마감하는 편의 작화는 마음에 들어요!

아카사카 : 그 편에는 온갖 감정이 담겨 있어요. 〈【최애의 아이】〉라는 작품은 엔터테인먼트 업계의 이면을 그리고 있는데, 우리 만화만 안전권에 있는 건 좀 그렇지 않나? 우리도 상처입을 만한 짓을 하지 않으면 불공평한 게 아닌가? 그런 마음에서 태어난 에피소드입니다. 사실은 그리고 싶지 않았네요(웃음).

요코야리 : 만화가가 만화가를 그리면 간혹 '본인 이야기'라는 말을 듣게 되는 경우가 있으니까요.

아카사카 : 멩고 선생님께 '이건 얻어맞을 수도 있는데, 해도 될까요?'라고 상담했더니 '좋아, 두드려 맞자!'라고 대답해주셨죠.

요코야리 : 작품을 만드는 과정에서 하는 게 좋겠다는 생각이 드는 건 해야 한다는 주의거든요.

아카사카 : 《[최애의 아이]》는 남의 일이 아니라 우리들도 얻어맞을 입장에서, 상처를 입으며 해야 한다는 각오로 만든 작품입니다.

요코야리 : 맞아요. 리스크도 짊어져야죠. 독자분들은 분명 저를 '아비코처럼 위험한 녀석'으로 여기실지도…(웃음).

—— 아비코가 작중에서 선보인 '더블 양치질'은 선생님들이 실제로 하시는 건가요?

요코야리 : 저는 안 해요, 절대로 안 해요!

아카사카 : 사실은 제가 합니다. 어쩔 때는 드라이어도 두 개를 쓰죠(웃음).

요코야리 : 그런 건 대체로 제가 하는 줄 아시더라고요(웃음). 요리코 선생님이 '침대에서는 깊이 잠들지만 바닥에서는 네 시간 정도면 깬다'라고 말하는 장면이 있는데, 그건 제가 아니라 아카 선생님 얘기예요.

아카사카 : 제가 작품을 그리는 데 있어서 제 내면에 있는 서랍을 활용하는 게 가장 현실에 가까운 것을 그릴 수 있다고 생각하니까, 비록 자기 이야기라고 해도 실제로 아는 것을 제대로 그려내고 싶습니다.

요코야리 : 아카 선생님은 그런 식으로 자기가 겪은 일을 그리거나, 요소를 자연스럽게 넣는 것에 능숙하시죠. 저는 평소에 제가 하는 일은 거의 안 그리니까요.

아카사카 : 곳곳에 사실을 그려 넣으면 작품 전체에 리얼리티가 생긴다고 믿으면서 하고 있습니다.

마지막 권의 표지 일러스트는 눈동자 클로즈업일지, 단체 그림일지, 아니면…

—— 아카사카 선생님은 앞으로 어떤 《[최애의 아이]》 컬러 일러스트를 보고 싶으세요?

아카사카 : 보고 싶은 일러스트는 참 많은데, 멩고 선생님의 부담을 줄이는 게 중요하니까요….

요코야리 : 이렇게나 채색하는 게 싫다, 싫다 투정을 부리면 그렇게 대답할 수밖에 없겠죠(웃음).

아카사카 : 제게 채색을 하라고 하신다면 언제든 하겠습니다!

요코야리 : 정말요? 재밌을 것 같으니까 한번 부탁해볼까요. 이렇게 컬래버가 결정됐습니다(웃음)! 보고 싶은 일러스트도 기탄없이 얘기하세요!

아카사카 : 그래도 된다면야 멩고 선생님이 꼭 그려주셨으면 하는 게 있는데, 바로 눈동자 클로즈업입니다. '눈동자가 주인공!' 같은 그림이요.

요코야리 : 끌리는 제안이기는 한데, 애니메이션의 눈동자 클로즈업 처리가 워낙 엄청나서 엄두가 안 나네요. '그걸 뛰어넘는 건 불가능해!'라는 생각이 드는 퀄리티를 애니메이션 제작자분들이 내고 계시니까요.

아카사카 : 장난 아니죠. '눈동자 안에 진짜 우주가 있어!'라니.

요코야리 : 그걸 그대로 가져와서 쓰고 싶을 정도라니까요(웃음). 진짜 좋아요!

아카사카 : 하지만 '원작자인 우리라면 이렇게 하겠다'라는 스탠스도 보여주고 싶어요.

요코야리 : 그렇다면… 알겠습니다! 기회가 된다면 눈동자를 클로즈업한 그림을 그릴게요. 그렇다면 마지막 권 표지 같은 것도 괜찮지 않을까요? 아카 선생님은 혹시 마지막 권 표지 이미지로 생각해둔 게 있나요?

아카사카 : 단체 그림.

요코야리 : …괜히 물어봤네(웃음). 전 단체 그림이랑 자전거랑 기타를 안 그리고 만화가 인생을 끝내는 게 목표인데(웃음).

아카사카 : 작품이 완결된 후에 읽고 싶어하는 사람이 있으니까, 그런 사람을 위해서 '완결됐습니다'라는 사인을 보내야 한다고 생각하거든요. 제 머릿속에서는 단체 그림이 그 사인이에요. 그래서 《카구야 님》의 마지막 권 표지도 단체 그림으로 했고요.

요코야리 : 알겠어요. 정말로 단체 그림이 좋다면야 마지막 정도는 힘을 내볼까요(웃음)!

★ 세세하게 신경 써서 그리는 ★ 아이의 머리장식 토끼

요코 : 아이가 머리 액세서리로 달고 있는 토끼의 작화는 꽤 신경 써서 그리고 있어요. 그 독특한 분위기를 재현하는 건 꽤 어려울 테니, 애니메이션 제작자분들도 분명 고생하실 거예요.

아카 : 애니메이션 《[최애의 아이]》와 스위트 파라다이스의 컬래버 카페 메뉴에 '아이의 트레이드 마크 토끼 카레'라는 게 있었죠. 카레랑 같이 나오는 밥을 토끼 모양으로 담은 거예요.

요코 : 토끼 재현도가 엄청 높아서 맘에 들더라고요(웃음).

아카 : 설마 토끼가 카레라이스가 될 줄이야(웃음).

❷ てまどいにパーツを
はなして描きましょう。この
ウサギは求心顔ではなく
遠心顔なのです。 by×メンゴ"

❶ 너무 몰림

❷ 적당히 파츠 간의 거리를 벌려서 그립시다. 이 토끼는 이목구비가 펑퍼짐하거든요. by. 멩고

증정본이야, 증정본!

저번에 사진 촬영한 잡지가 도착했어!

이것 봐!

다음 주 미들 점프냐. 보여줘.

한여름의 꿈을 루비색…♪

오….

프레시 아이돌

아카사카 아카×요코야리 멩고
2022년 주간 영점프 증간 《영점프 히로인2》 게재 특별 만화

너 말이다.

예쁘게 찍혔지!

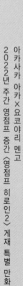

촬영◎시로가네 카구야

END

〈【최애의 아이】〉는
제가 멘고 선생님께 얘기를 꺼낸 것을 계기로
시작된 이야기입니다.

제가 멘고 선생님을 태그로 선택한 이유를
이 일러스트집을 끝까지 보신 여러분들은
알게 되셨을 거라고 생각합니다.

앞으로도 멘고 선생님의 그림과 함께
〈【최애의 아이】〉의 이야기는 진행될 테니
끝까지 잘 부탁드리겠습니다.

★ POSTSCRIPT ★

만화만이 아니라 일러스트집까지
손에 들어주신 분들은
〈【최애의 아이】〉 월드의 모든 것을
좋아해 주시는구나, 하는 생각이 듭니다.

컬러 일러스트에는
작중에서 미처 표현하지 못한
캐릭터의 표정이나
매력이 담겨 있으니,
모쪼록 만화와 함께
즐겨주시면 좋겠습니다.

【최애의 아이】 1st 일러스트집 GlareXSparkle

2023년 12월 23일 초판 인쇄   2023년 12월 31일 초판 발행

저자 ········· Aka Akasaka×Mengo Yokoyari

옮긴이 : 원성민   **발행인** : 황민호
콘텐츠1사업본부장 : 이봉석
책임편집 : 윤찬영/장숙희/전송이/조동빈/옥지원/이채은/정은경
발행처 : 대원씨아이(주)
서울특별시 용산구 한강대로 15길 9-12 전화 : 2071-2000 FAX : 797-1023
1992년 5월 11일 등록 제1992-000026호

ISBN 979-11-7172-240-2 07830
ISBN 979-11-7172-273-0 (세트)